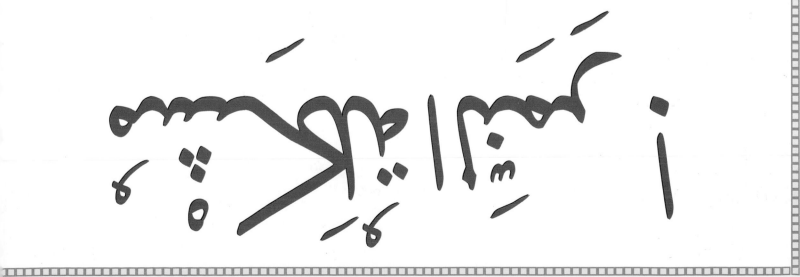

First printing, October 2001
Designed by Kathleen Westray

ISBN 978-0-439-86450-3

First Arabic Edition, 2006. Printed in China.

1 2 3 4 5 6 7 8 9 10 62 11 10 09 08 07

همیرا کی امّی کی دوکان سے،

کی چیزیں کی راستہ روکری و دوڑی و نیکی

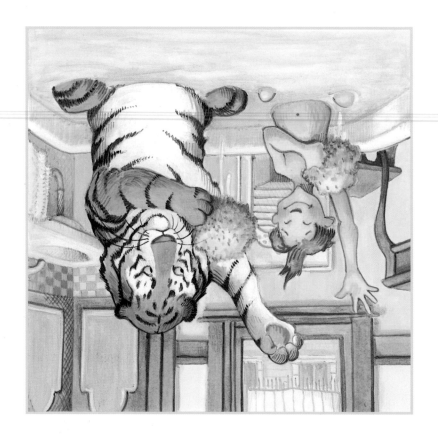

كُلُّ شَيْءٍ كانَ يَفْعَلُهُ جَميلٌ، يَفْعَلُهُ نَمّورٌ.

وَكُلُّ شَيْءٍ كانَ يَفْعَلُهُ نَمّورٌ،
يَفْعَلُهُ جَميلٌ.

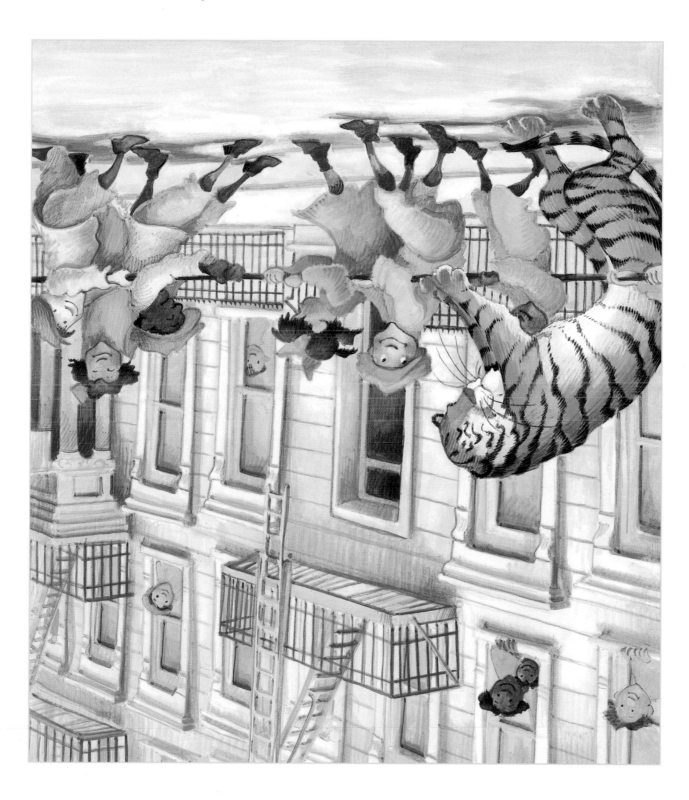

كُلُّ مَكانٍ كانَ يَذْهَبُ إِلَيْهِ نَمّورٌ،
يَذْهَبُ إِلَيْهِ جَميلٌ.

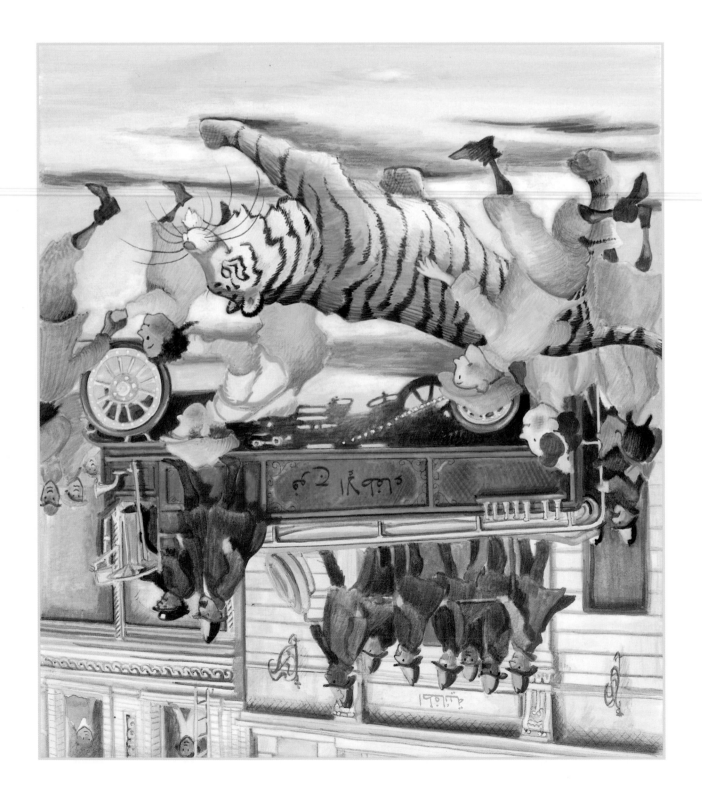

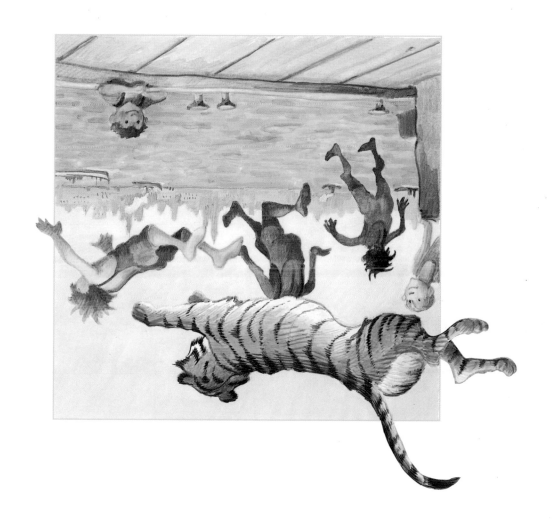

وَكُلُّ مَكانٍ كانَ يَذْهَبُ إِلَيْهِ جميلٌ،
يَتْبَعُهُ نَمّورٌ إِلَيْهِ.

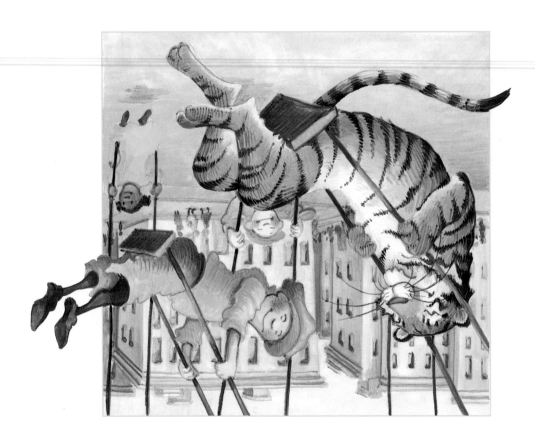

لَمْ يَكُنْ شَيْءٌ يُقْلِقُهُما عَلى الإِطْلاقِ.

إِلى أَنْ...

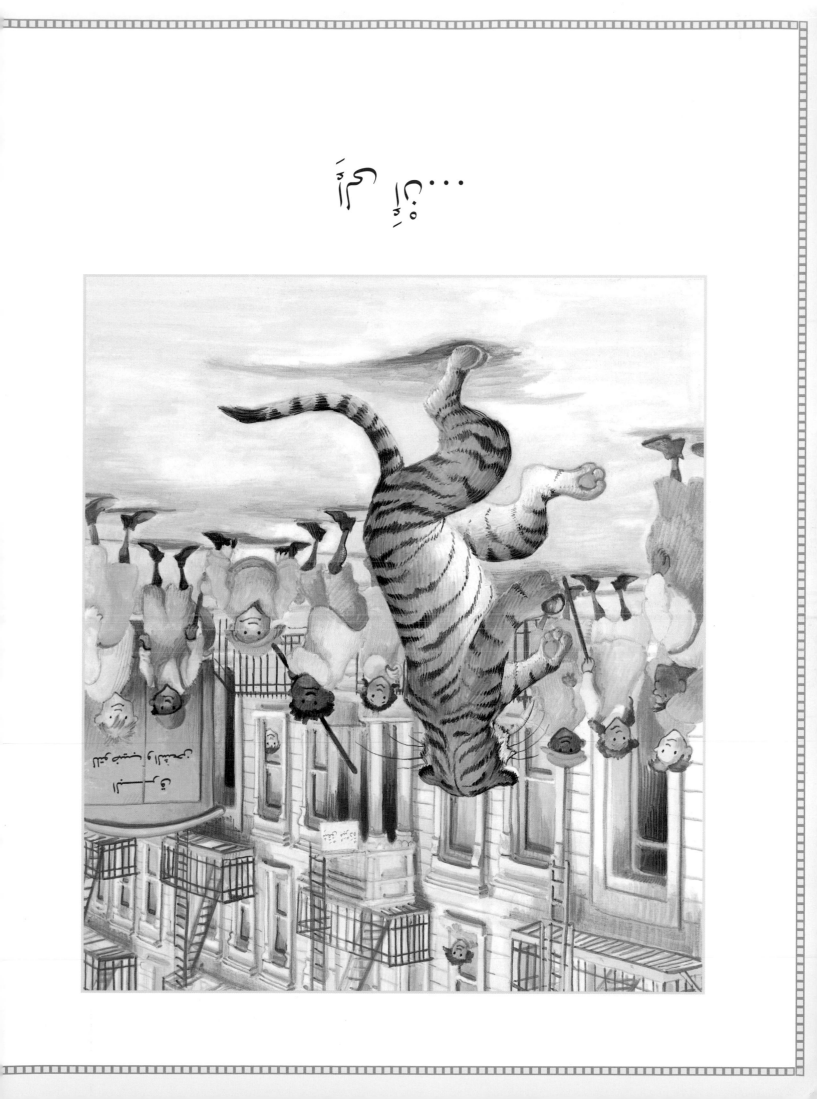

... جاءَ يَوْمٌ فَظيعٌ رَهيبٌ، حينَ اشْتَرى السَّيِّدُ نكّادٌ

العِمارَةَ في شارِعِ النَّهْرِ...

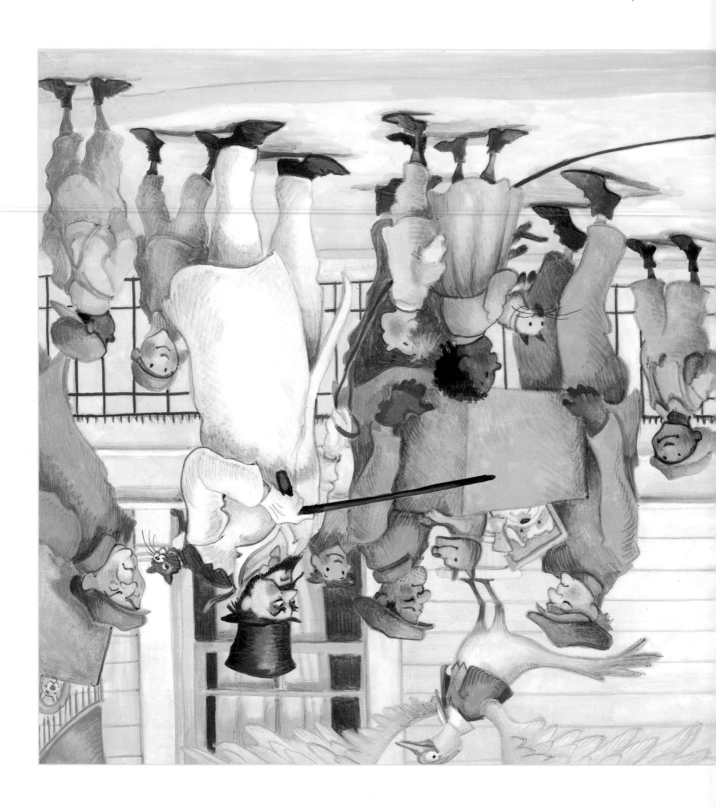

وَصَعِدَ الدَّرَجَ مَعَ كَلْبِهِ خمّولٍ.

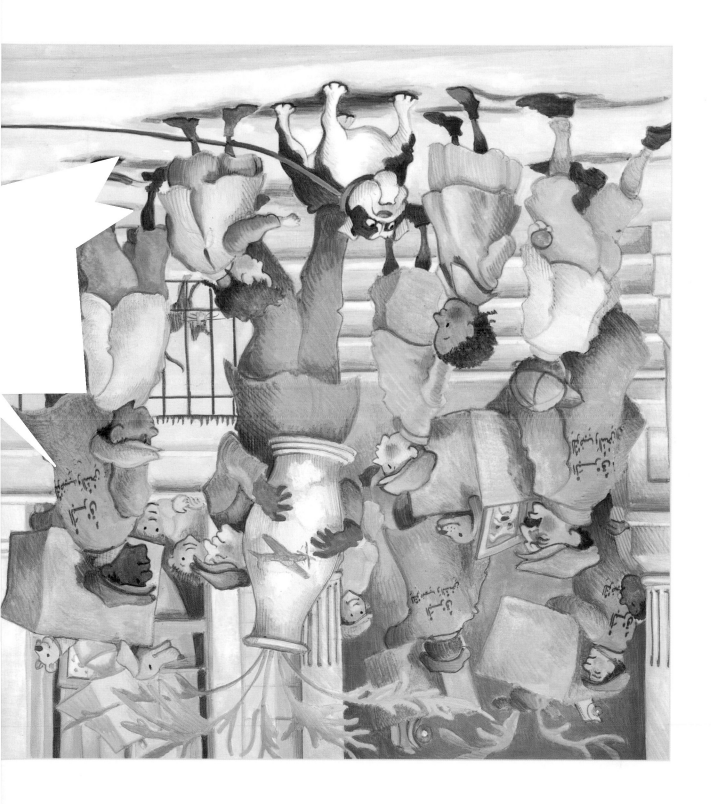

لَمْ يَكُنِ السَّيِّدُ نَكّادٌ يُحِبُّ الْقِطَطَ بِكُلِّ أَنْواعِها.

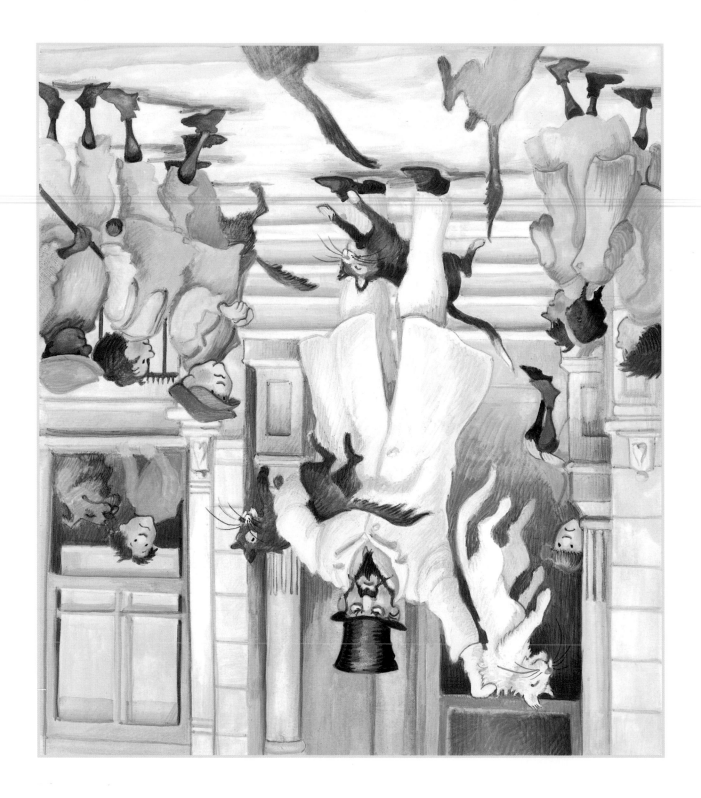

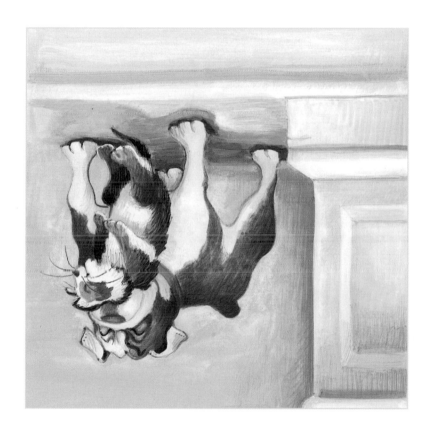

وَلا كَلْبُهُ خَمّولٌ أَيْضًا.

لِذلِكَ، حينَ التَقى السَّيِّدُ نَكّادُ وَكَلْبُهُ خَمّولُ

النَّمِرَ نَمّورًا، أُصيبا بِدَهْشَةٍ!

صاحَ السَّيِّدُ نَكّادُ: «تِلْكَ القِطَّةُ قَدْ تُخيفُ
النّاسَ! أُريدُها خارِجَ البِناءِ قَبْلَ صَباحِ الْغَدِ!»

فَكَّرَ جَميلٌ: «نَمّورٌ يُخيفُ النّاسَ؟ أَبَدًا!»

ثُمَّ صاحَ قائِلاً:

«سَنَجِدُ طَريقَةً تُمَكِّنُكَ مِنَ الْبَقاءِ، يا نَمّورُ!»

فَكَّرَ جَميلٌ وَنَمّورٌ كَثيرًا.
لِكِنَّهُما لَمْ يَتَوَصَّلا إِلى طَريقَةٍ تُمَكِّنُ نَمّورًا مِنَ الْبَقاءِ.

أَخيرًا، ذَهَبا إِلى النَّوْمِ.

لكِنَّ نَمّورًا لَمْ يَسْتَطِعْ أَنْ يَنامَ.

فَقَدْ سَمِعَ ضَجَّةً في الْخارِجِ.

نَظَرَ مِنَ الشُّبّاكِ، فَرَأى لِصًّا يَتَسَلَّقُ
شِقَّةَ السَّيِّدِ نَكّادٍ...

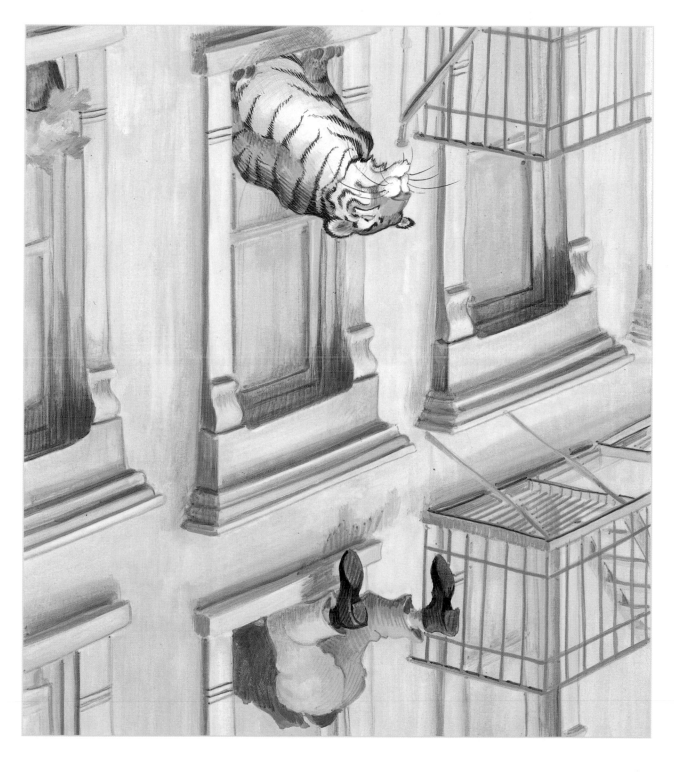

... وَيَبْدَأُ بِمَلْءِ كيسٍ بِكُلِّ الأَغْراضِ الْمُحَبَّبَةِ
إِلى قَلْبِ السَّيِّدِ نكّادٍ...

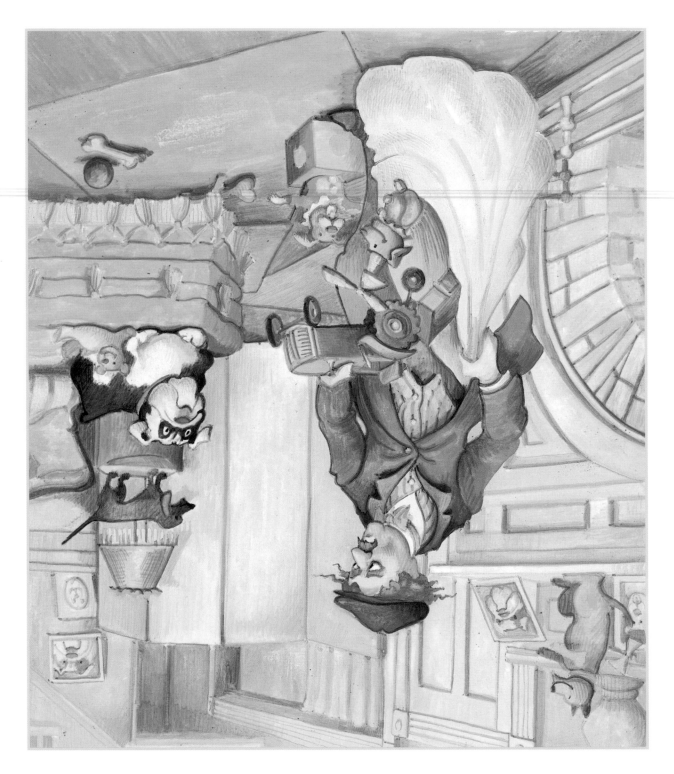

... بِما في ذلِكَ كَلْبُهُ خَمّولٌ.

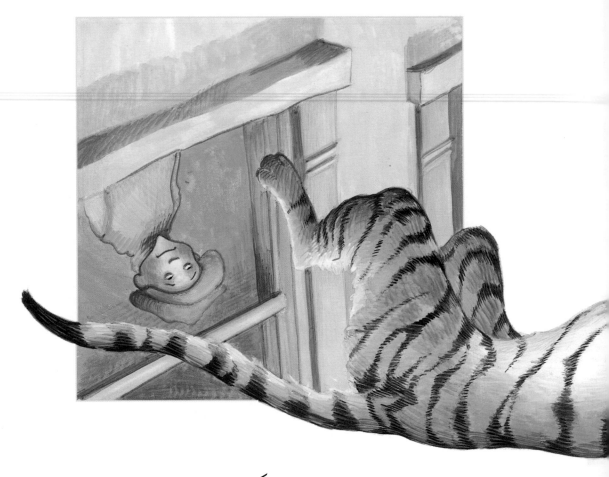

وَبَيْنَما كانَ يُحاوِلُ الفِرارَ،

زنگوله یک دفعه از روی نرده خم شد و به طرف پایین می‌آمد.

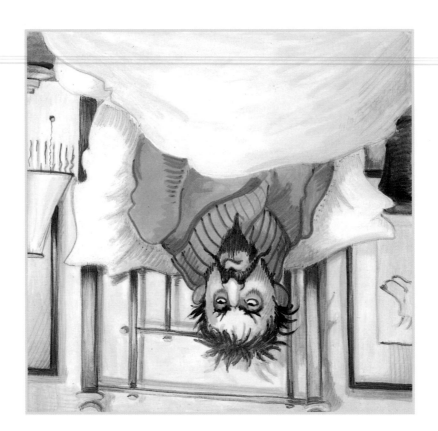

أَيْقَظَتْ صَرَخاتُ اللِّصِّ السَّيِّدَ نَكّادًا...

... فَرَكَضَ إِلى الْغُرْفَةِ، في اللَّحْظَةِ الَّتي كانَ
فيها نَمّورٌ يُنْقِذُ خَمّولاً الْمِسْكينَ.

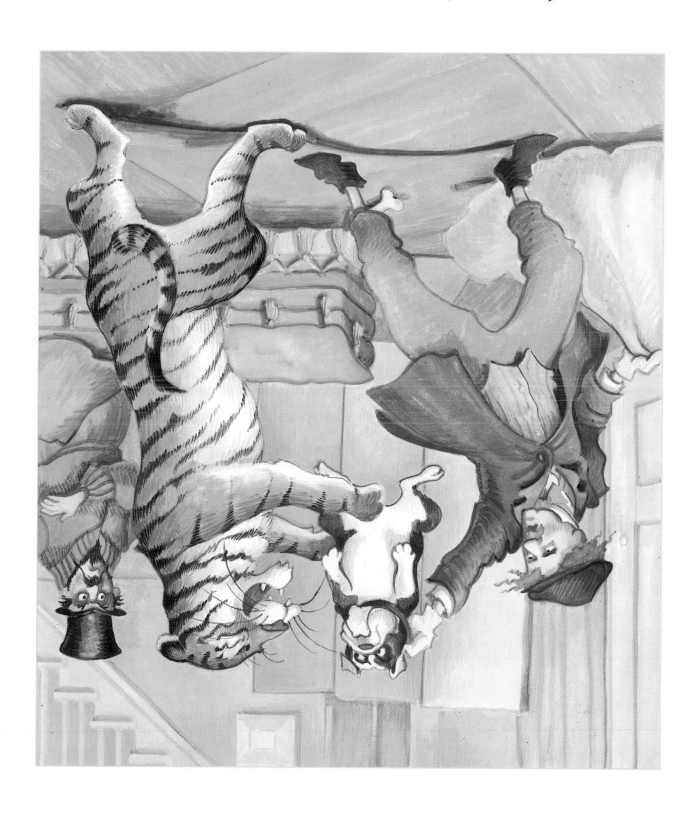

في هذا الوَقْتِ، كانَ كُلُّ مَنْ في البِنايَةِ قَدِ اسْتَيْقَظَ.
وَقَفَ نَمّورُ يَحْرُسُ اللِّصَّ،

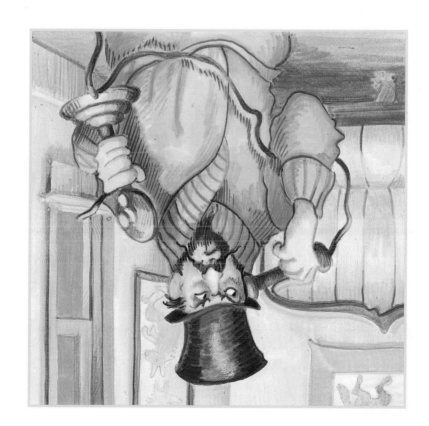

فيما اسْتَدْعى السَّيِّدُ نَكّادُ الشُّرْطَةَ.

ثُمَّ أَلْقَتِ الشُّرْطَةُ القَبْضَ عَلى اللِّصِّ.

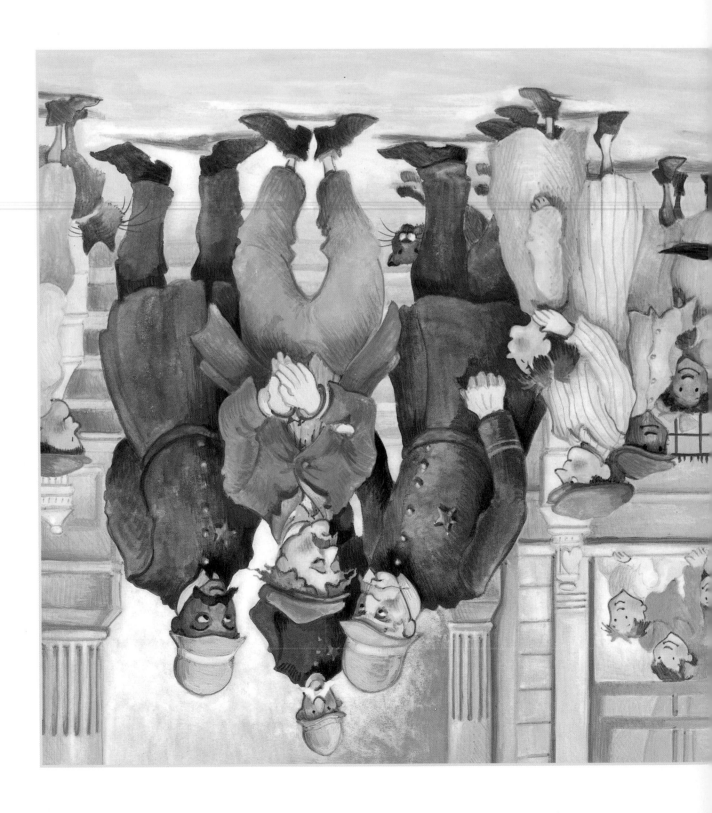

وَهَتَفَ الْجَميعُ هُتافاتِ الْفَرَحِ:

«مَــــرْحى لِنَمّــــورٍ!»

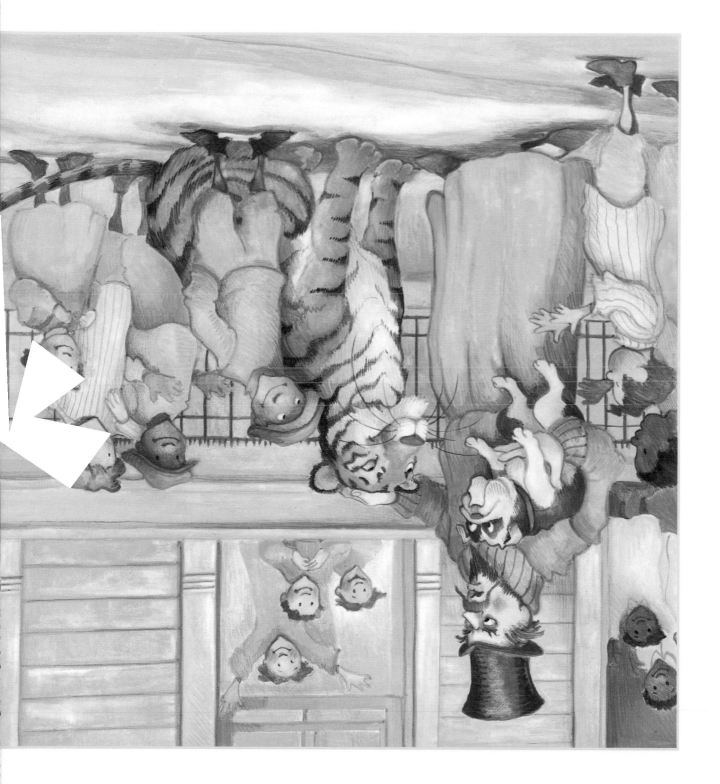

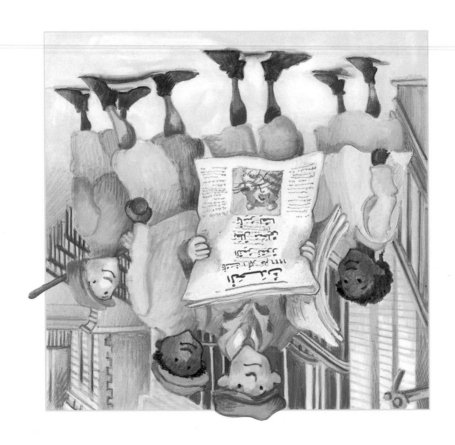

وَفي صَباحِ الْيَوْمِ التّالي، كانَ الْجَميعُ قَدْ عَرَفَ أَنَّ نمّورًا بَطَلٌ...

.... وَراحَ السَّيِّدُ نَكّادُ يَرْجو نَمّورًا أَنْ لا يَرْحَلَ.

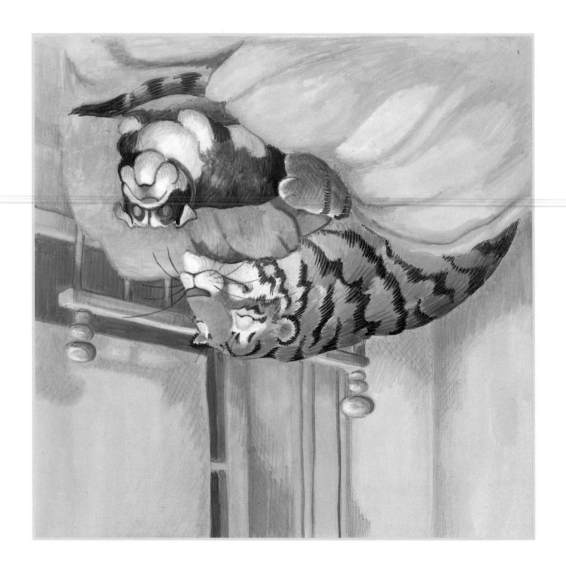

وَهذا ما فَعَلَهُ خمّولٌ أَيْضًا.